P9-EDB-137

图书在版编目（CIP）数据

我妈妈 /（英）布朗著绘 ；余治莹译. -- 石家庄 ：
河北教育出版社，2007.4（2015.5重印）
书名原文：My mom
ISBN 978-7-5434-6457-5

Ⅰ. ①我… Ⅱ. ①布… ②余… Ⅲ. ①儿童文学－图
画故事－英国－现代 Ⅳ. ①I561.85

中国版本图书馆CIP数据核字(2014)第082847号

冀图登字：03-2013-021

My Mum

我妈妈

编辑顾问：余治莹
译文顾问：王　林
责任编辑：袁淑萍　王福仓
策划：北京启发世纪图书有限责任公司
　　台湾麦克股份有限公司
出版：**河北出版传媒集团**
　　河北教育出版社　www.hbep.com
　　（石家庄市联盟路705号 050061）

印刷：北京盛通印刷股份有限公司
发行：北京启发世纪图书有限责任公司
　　www.7jia8.com　010-59307688
开本：635mm×965mm　1/8
印张：4
版次：2007年4月第1版
印次：2015年5月第32次印刷
书号：ISBN 978-7-5434-6457-5
定价：35.80元

如有印装质量问题请与印刷厂联系(010-67887676转816)

我 妈 妈

文/图：〔英〕安东尼·布朗

翻译：余治莹

河北出版传媒集团

河北教育出版社

这是我妈妈，她真的很棒！

我妈妈是个手艺特好的大厨师，

也是一个很会杂耍的特技演员。

她不但是个神奇的画家，

还是全世界最强壮的女人！

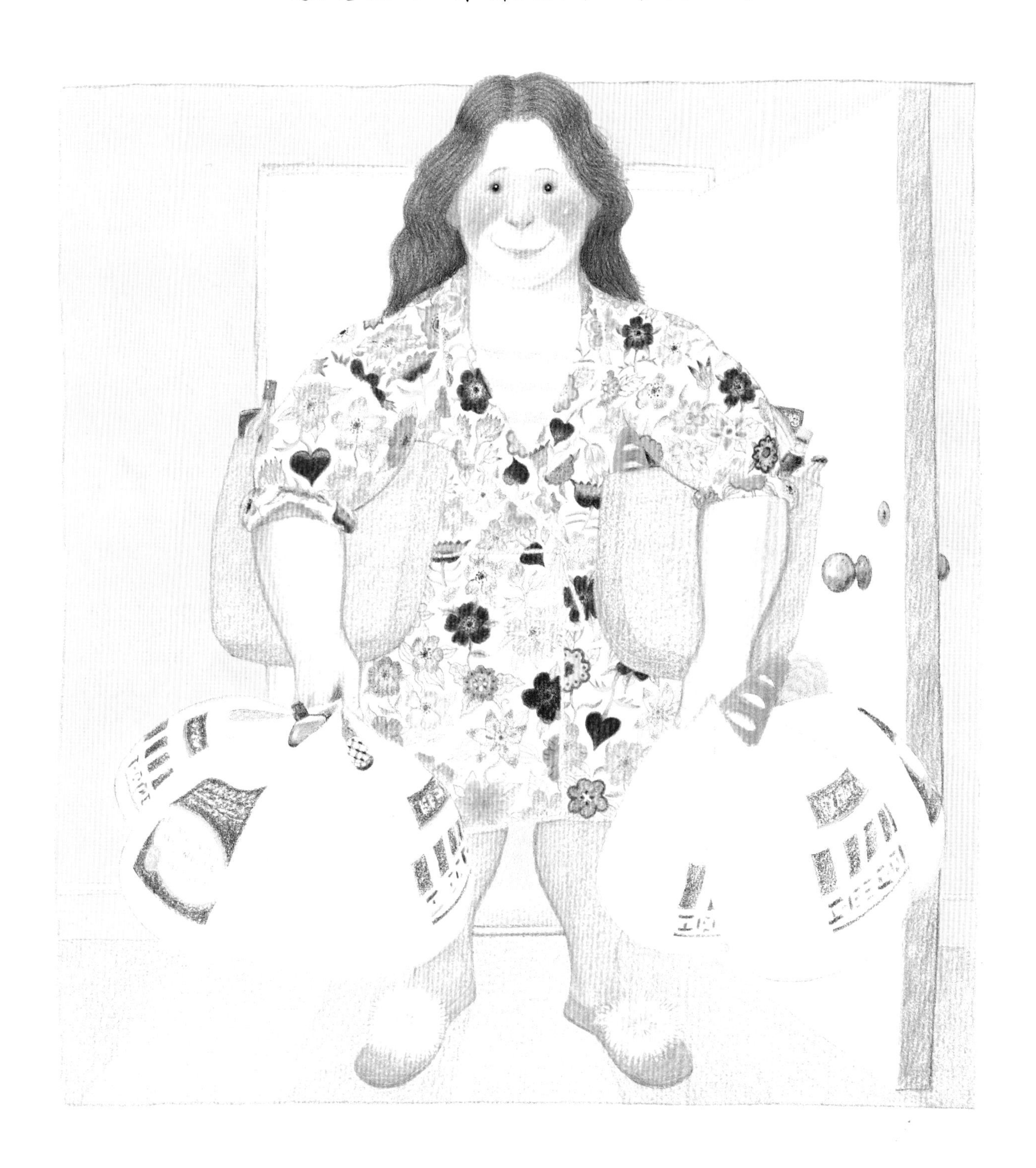

我妈妈真的很棒！

我妈妈是一个有魔法的园丁，

她能让所有的东西都长得很好。

她也是一个好心的仙子，

我难过时，总是把我变得很开心。

她的歌声像天使一样甜美。

吼起来像狮子一样凶猛。

我妈妈真的、真的很棒！

我妈妈像蝴蝶一样美丽，

还像沙发一样舒适。

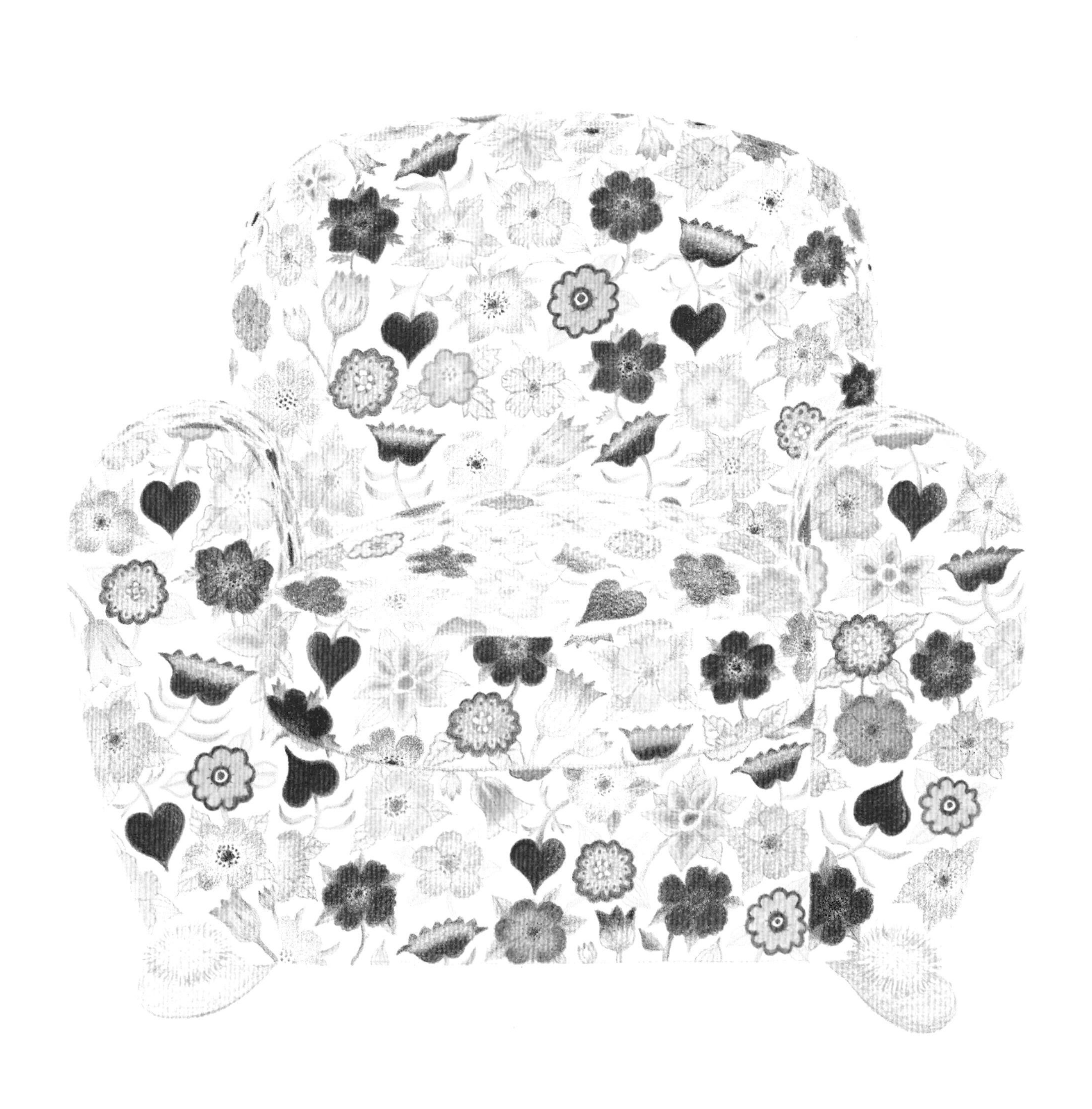

她像猫咪一样温柔，

有时候，又像犀牛一样强悍。

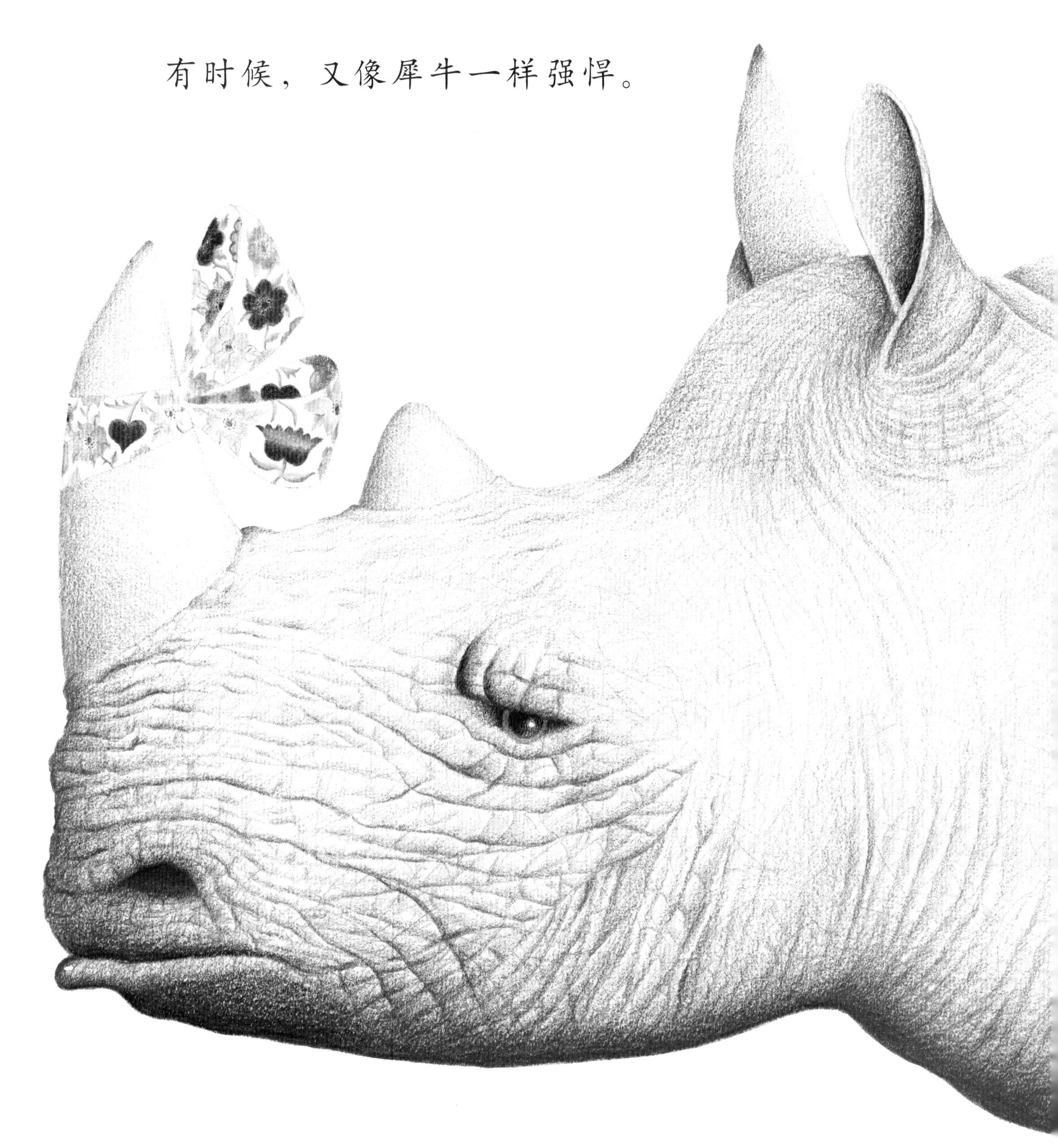

我妈妈真的、真的、真的很棒！

不管我妈妈是个舞蹈家，

还是个航天员，

也不管她是个电影明星，

还是个大老板，她都是我妈妈。

我妈妈是一个超人妈妈，

常常逗得我哈哈大笑。

我爱她，

而且你知道吗？

她也爱我！

（永远爱我。）